¡Más!

Para Mason y Jack.
I. C. S.

Para Henry Schwartz.
B. L.

Dirección editorial: Adriana Beltrán Fernández
Coordinación de la colección: Karen Coeman
Cuidado de la edición: Pilar Armida
Diseño y formación: Maru Lucero
Traducción: Pilar Armida

¡Más!

Título original en inglés: *More*

Texto D.R. © 2012, I. C. Springman
Ilustraciones D.R. © 2012, Brian Lies

Editado por Ediciones Castillo por acuerdo con
Houghton Mifflin Books for Children, Nueva York, 10003, E.U.A.

Primera edición: enero de 2013
D.R. © 2013, Ediciones Castillo, S.A. de C.V.
Castillo ® es una marca registrada.

Insurgentes Sur 1886, Col. Florida,
Del. Álvaro Obregón,
C.P. 01030, México, D.F.

Ediciones Castillo forma parte
del Grupo Macmillan

www.grupomacmillan.com
www.edicionescastillo.com
infocastillo@grupomacmillan.com
Lada sin costo: 01 800 536 1777

Miembro de la Cámara Nacional
de la Industria Editorial Mexicana.
Registro núm. 3304

ISBN: 978-607-463-660-4

Impreso en China/*Printed in China*

¡Más!

I. C. Springman ▪ Ilustraciones de **Brian Lies**

Nada.

Algo.

Algunos.

Varios.

Más

y más

y más.

Bastante.

Mucho.

Muchísimo.

Demasiado.

En exceso.

Más que suficiente.

¡Ay, no!

Menos.

Aun menos.

Mucho menos.

Bastante menos.

Casi nada.

Ya casi nada.   ¿Suficiente?

Sí,

suficiente.

Impreso en los talleres de South China Printing Co.,
Daning Administrative District, Humen Town, Dongguan City,
Guangdong Province, China.
Enero de 2013.